Österreich

Österreich

EIN BILDWERK

mit einem Vorwort
von
Dr. RUPERT FEUCHTMÜLLER

VERLAG LUDWIG SIMON · MÜNCHEN-PULLACH

Man könnte das Wesen Österreichs mit einer Symphonie vergleichen, die in ihrem Zusammenklang die Themen Landschaft, Tradition und Kunst harmonisch vereint. Die Landschaft ist dabei die Dominante. Sie bestimmt nicht nur die äußere Erscheinung, sondern auch den Charakter, sie ist das Grundelement, das Leitmotiv gleichsam, das alle anderen Sätze dieses Musikstückes beherrscht.

Zwei große Seen, im Westen der Bodensee, im Osten der schilfumgürtete Neusiedler See, lassen die liebgewonnenen Bilder der Heimat im Spiel der Wellen verklingen. Von des einen Ufer steigt man empor zu schroffen Felsen, schneebedeckten Gipfeln und einsamen Hochflächen, von des anderen blickt man über sanfte Rebhügel hinaus in die weiten Ebenen Ungarns. Von dichten Bergwäldern und freundlichen Wiesen umsäumt, durchziehen die Täler das Innere des Landes. Sie sind die Straßen, die aufgeschlossen die Völker verbinden; sie sind aber auch die ruhenden Zentren, in denen die Heimat geboren wurde. Vielgestaltig ist Österreich. Im Herzen Europas hat es Anteil an fremder Art und ist doch ein geschlossenes Ganzes. Das sonnige Kärnten, die dunkle Schwermut des Waldviertels, die Majestät der Alpen und die lieblichen Hänge des Wienerwaldes haben mehr Gemeinsames, als uns der erste Eindruck vermittelt. Allmählich im Wandern und Schauen erschließt es sich uns: überall schwingt die Vergangenheit mit und gibt der klaren, oft selbstherrlichen Schönheit der Natur eine geheimnisvolle Melancholie, den Reiz der Tradition. Während unsere Blicke die Landkarte des nur 84000 qkm großen Landes zu umfassen suchen, führen uns die Gedanken weit zurück in die Zeit, als das Tertiärmeer die Ebenen bedeckte und Wien noch Meeresboden war. Wälder von Schachtelhalmen standen damals in den Tälern der Voralpen. Erst im Laufe von Millionen Jahren versiegte das Wasser, Berge und Ebenen zeichneten sich ab. Eis und Schnee bedeckten hierauf als Reaktion des warmen Klimas die Gipfel. Mammutherden durchzogen das Urstromtal der Donau, und aus der letzten Eiszeit vor etwa 500000 Jahren finden wir die ersten Spuren der Menschen, die in der kargen Natur ihr Leben behaupten mußten. Aus dieser ältesten Steinzeit stammt auch das früheste plastische Erzeugnis, die sog. Venus von Willendorf, die man in der Nähe von Spitz in der Wachau fand. In den folgenden Jahrtausenden ergriffen die Menschen als seßhafte Bauern zögernd Besitz von dem Land. Kulturen aus der Pyrenäenhalbinsel stießen weit nach dem Osten vor. Erst die Bronzezeit gab in ihrer materiellen Bindung ein Zentrum, das im Raum von Hallstatt uns zum ersten Male den Begriff der Heimat denken läßt.

Das Römische Imperium verband schließlich die Stämme und Völker in einem Reich, das hier in Österreich an der Donau seine feste Grenze hatte; ein Begriff, der durch die Wachsamkeit des Legionärs zum ersten Male in der Geschichte verwirklicht wurde. Der räumlich abgegrenzte Staat war geschaffen. Er bediente sich der keltischen Stämme, prägte ihre Kultur, ohne sie in ihrem Wesen zu wandeln. In Carnuntum, in Lauriacum sowie in Teurnia erkennen wir an Ausgrabungen deutlich das keltische Haus in seinen Grundrissen. Es verwendete äußerlich römischen Komfort, ohne jedoch an fremder Kulturhöhe seine eigene Art einzubüßen. Erst nach den Unruhen der Völkerwanderungsstürme nahm Österreich geographisch Gestalt an. Die aus Bayern und Franken vordringenden Kolonisatoren zogen entlang der Donau nach Osten und besiedelten das Land, das kurz nach der Begründung des Heiligen Römischen Reiches Deutscher Nation im Jahre 976 den Babenbergern zu Lehen übergeben wurde. Mit diesem Zeitpunkt beginnt Österreichs Geschichte.

Die ältesten Epochen zeichnen sich in dem heutigen Erscheinungsbild kaum mehr ab. Einfache Siedlungen, meist aus Holz gebaute Kirchen und primitive Wehrtürme entsprachen den damaligen Erfordernissen. Defensive Festungen, die sich der weiten Natur verschlossen, sicherten die mühsam eroberten Besitzungen. Diese einfachen frühen Architekturen, die wir uns nur annähernd rekonstruieren können, dürften viele bodenständige Elemente in sich getragen haben. Eine Auseinandersetzung mit westlichen und südlichen Kulturen wird erst im 12. Jahrhundert deutlich.

Die Tradition, von deren Wurzeln andeutungsweise gesprochen wurde, tritt uns nun im Kunstwerk anschaulich entgegen. Betrachten wir den ehemaligen romanischen Dom von Salzburg, wie er in alten Abbildungen überliefert ist, so sehen wir eine Anlage, die an die Kirche von Hildesheim erinnert; die Westtürme sind in Bayern üblich, die runde Kuppel aber, die sich über Haupt- und Querschiff erhoben hatte, läßt uns an byzantinische Vorbilder denken, die von Venedig in unser Land kamen. Die Kreuzzüge hatten diese weitreichenden Verbindungen angebahnt, die auf dem Gebiete des Handels fortlebten und sich im Kunstwerk dokumentierten. Dieses Einströmen von Ideen aus Ost und West, Nord und Süd wurde Österreich zum Schicksal. Die Dome von Seckau und St. Paul machen uns dies ebenso anschaulich. Die auf einem Wald von Säulen ruhende Krypta von Gurk wandelt die strenge Monumentalität der deutschen Kaiserdome in das zierlich Ornamentale, das im Freskenzyklus der berühmten Westempore wieder an die feierliche Größe von Byzanz gemahnt.

Zur Landschaft fand die Kunst kaum engere Beziehungen. Der Wehrbau hatte durch seine zweckbedingte Stellung in der Natur viel größere Möglichkeiten. Erst in der späten Romantik tritt uns das Antlitz Österreichs klarer gegenüber. Zur Zeit, als der Babenberger Herzog Leopold der Glorreiche einen fortschrittlichen Baumeister Frankreichs in sein Land berief, um in Klosterneuburg, Lilienfeld und Heiligenkreuz Werke edler Gotik zu erbauen, nahm die Urtümlichkeit romanischer Phantasie noch einmal Gestalt an. Ähnlich der Tierlegenden, die uns die Fresken der steirischen Kirche von Pürgg berichten, wirkt die Erzählung der Bildwerke. Sie ist in ihrer Beziehung zu uns nun viel direkter und unmittelbarer. Gleich den Predigten der schottischen Mönche ziehen uns die Plastiken an der Kirche von Schöngrabern in ihren Bann. Wie in einer steinernen Bibel wird das christliche Weltbild vom Sündenfall bis zum Jüngsten Gericht vor uns hingestellt. War in Kärnten eine enge Beziehung zur römischen Tradition gegeben, so trat in Niederösterreich das volkstümliche Element stark hervor, obwohl sich auch hier Vorbilder in Deutschland und Norditalien finden lassen; der Ausdruck aber ist ein eigener. Der Bildschmuck von Schöngrabern, der einst dem Friedhof zugekehrt war, hat eine tiefe kultische Bindung. Sie hat in den Totenkapellen nahezu einmaligen Ausdruck gefunden. Ähnlich dem Riesentor von St. Stephan, das uns im Gewände gleichfalls die bunte mittelalterliche Fabelwelt widerspiegelt, verwenden die Portale der Karner reichen ornamentalen Schmuck, der die kleinen Kultbauten sogar den Pfarrkirchen gegenüber künstlerisch bevorzugt. Beachten wir die Lage dieser malerischen Kapellen, die, von Friedhofsmauern geschützt, meist auf kleinen Hügeln thronen, dann wird es uns klar, daß sie ebenso wie die Wehrkirchen eine landschaftliche Besonderheit darstellen. Auch die großen Kunstwerke geben derselben Wesensart Ausdruck. Besonders wäre hier nochmals an die Zisterzienserstifte zu erinnern. Heiligenkreuz, von Leopold dem Heiligen als die dritte und östlichste Zisterze auf deutschem Boden gegründet, wurde zur Begräbnisstätte der Babenberger. In Lilienfeld ruhen Leopold der Glorreiche und Margarete von Österreich, die letzte Babenbergerin. Bedenkt man diese enge Beziehung der Klöster zu den Landesherren, dann versteht man auch, daß hier repräsentative Kunstwerke entstanden. Ein französischer Künstler gab, wie schon vorher erwähnt, den Anstoß zu neuer baulicher Gestaltung. Die Kreuzgänge von Heiligenkreuz und Lilienfeld bringen in ihrer fließenden Linienführung die neuen Ideen der Gotik zu vollendetem Ausdruck. Schlußsteine und Kapitelle verraten kunstvolle Gliederung, aus der eine eher höfisch elegante Art spricht. Das Brunnenhaus von Heiligenkreuz hat dagegen die romanische Gedrungenheit endgültig abgestreift. Man könnte an eine bruchlose weitere Entwicklung denken, wenn sich nicht die Romantik auch hier noch einmal durchgesetzt hätte. Der Kreuzgang von Zwettl, obwohl er der jüngste in dieser Reihe ist, erscheint viel plumper. Auch die Stiftskirche von Lilienfeld zeigt uns dies besonders deutlich. Obgleich die Kunstgeschichte im Chorumgang die früheste Halle des deutschen Gebietes verzeichnet, sind die Formen eine Absage an die neue Gesinnung. Plastische Knospenkapitelle stellen sich dem aufsteigenden Rhythmus der frühen Gotik entgegen und erinnern an die Phantastik bodenständiger Art.

Auch die Gotik war sehr bald in Österreich eingebürgert. Die sog. Bettelorden brachten ihre schmucklose edle Architektur bis in die kleinsten Städte. Die Ende des 13. Jahrhunderts entstandene zweischiffige Kirche von Imbach, in der Nähe von Krems, hat durch die Betonung des weltlich wirkenden Raumes eine Auffassung in den Vordergrund gerückt, die noch weiter Schule machen sollte. Die Hallen von Zwettl, Heiligenkreuz und Neuberg, die das Gewölbe durch einen Wald von Säulen gestützt, emporschweben lassen, gehören zu den bedeutendsten Vertretern deutscher Gotik. Neben diesem Bekenntnis zum Neuen aber finden wir als weiterer Beweis österreichischer Gesinnung die Liebe zum Alten, die Ehrfurcht vor der Tradition. Der Stephansdom in Wien, der kurz vor dem Aussterben der Babenberger mit dem romanischen Westwerk geschmückt wurde, zeigt in der Herrscherempore ein Fresko, das die Belehnung Albrechts II. mit Österreich symbolisiert. Dieses ehrwürdige Denkmal zweier Herrscherhäuser war durch die geplante Erneuerung, zu Beginn des 14. Jahrhunderts, gefährdet. Die romanische Architektur war zu klobig. Sie entsprach nicht den neuen Maßen. Dennoch aber wurde sie liebevoll in das Neue einbezogen. Beachten wir nur den harmonischen Übergang vom romanischen Rundbogenfenster zum hohen gotischen Maßwerk der Außenwände. Auch in Zukunft blieb der Dom von revolutionierenden Neuerungen verschont. Er ist heute Spiegelbild aller Epochen und verbindet verschiedene Stile zu einer Gemeinsamkeit. Der hohe, himmelstrebende Turm wurde gleichsam zum Symbol Österreichs. Er wirkt ganz anders als die Türme von Straßburg, Freiburg und Ulm. Er verleugnet gleichsam die strenge Konstruktion, die sich in einem feinen Gitterwerk ausprägt. Er häuft die zierenden Elemente derart, daß sie zu einem Gesamteindruck verschmelzen und dieses innerliche Aufwärtsstreben des Turmkörpers leicht und selbstverständlich erscheinen lassen. Die bedeutenden spätgotischen Hallenkirchen mit ihren reichen Netzgewölben bildeten die Ideen von St. Stephan weiter und gaben ihnen eine eigene österreichische Note.

Im 15. Jahrhundert entstanden die Städte der Gotik. Die winkeligen Gäßchen von Rattenberg, Hall und Innsbruck machen einen so malerischen Eindruck, daß wir an die Romantik des einstigen Nürnbergs erinnert werden. Die gotischen Formen sind in der bürgerlichen Welt anmutig wiederholt. Sie schmücken mit Stuckgraten die Wölbungen der Innsbrucker Laubengänge und umkleiden die zierlichen Erker. Die Gesamtheit aber in ihrer individuellen Vielfalt ist inmitten der prachtvollen Gebirgswelt von so hohem Reiz, daß sie zu malerischer Wiedergabe drängte. Wir kennen Albrecht Dürers zauberhafte Aquarelle vom mittelalterlichen Innsbruck und Max

Reichlichs religiöse Tafelbilder, welche Szenen in Straßen und Plätzen dieser Stadt schildern. Im östlichen Österreich war es ein Jahrzehnt früher der sog. Schottenmeister, der Wien und Krems in seinen Werken liebevoll festgehalten hat.

Immer breiteren Raum nahm nun in der Malerei die Natur selbst ein. Nach den gewaltigen Bildern Pachers, die sich mit der frühen Klassik italienischer Werke messen können, sehen wir die feinen Stimmungen eines landschaftlich geprägten Stiles: der sog. Donauschule. Roeland Frueauf der Jüngere malte die Schleierlegende, die Gründung Klosterneuburgs, inmitten der Donau-Auen, mit den dahinter sanft aufsteigenden Wiesenhängen und der heiteren Welt der Blumen und Gräser. Die Maler wurden sich damals zum ersten Male der Naturschönheiten Österreichs bewußt. Altdorfer und Cranach schilderten die gewaltigen Stimmungen düsterer Landschaft und Wolf Huber die Schönheit des Donautales und seiner Vorarlberger Heimat. Viele andere Künstler, deren Namen längst verschollen sind, lassen über der hügeligen Landschaft der Voralpen, in der wir vereinzelte Gehöfte, Mühlen, Bildstöcke und Brücken sehen, die schneebedeckten Gipfel des Hochgebirges hervorleuchten. Niemals aber wurde die Natur um ihrer selbst willen gesehen, sie ist Spiegelbild eindringlicher Beseeltheit. In der Darstellung des Menschen wird dieses geistige Erleben am deutlichsten. War bei Michael Pachers berühmten Flügelaltar in St. Wolfgang noch alles in inniger Gläubigkeit verbunden, so tritt im Kefermarkter Altar der Mensch mit seiner ganzen Stärke und Schwäche vor uns hin. Im dritten großen Schnitzaltar in Mauer bei Melk wird die andächtige Szene zum erschütternden Hilferuf aus einer unsicheren Welt.

Wer glaubt, daß sich der Spätstil zuletzt in provinzielle Sonderleistungen verliert, der hat die zukunftweisenden Werke der großen Kunst außer acht gelassen. Wir erinnern uns an die Repräsentation, die Friedrich III. seiner Wiener-Neustädter Burg gab, oder an die stolze Selbstherrlichkeit, die aus den erzenen Ahnenbildern am Innsbrucker Grabmal Kaiser Maximilians spricht. Eine neue Welt war angebrochen. Auf dem Gebiete des Handels hatte sie sich zuerst abgezeichnet. Aber auch das erzählen uns die einzelnen Bauwerke der Renaissance. Die venezianische Loggia am Kornmesserhaus in Bruck an der Mur ist ein beredter Markstein an der alten Handelsstraße. Die im Zierat an Spanien erinnernde Wappenwand der Wiener-Neustädter Burg verweist auf die weitreichenden politischen Beziehungen. Kaufleute und Bürgersöhne, die an italienischen Universitäten studierten, brachten die Ideen der Renaissance in das Land. Wer denkt nicht gleich an Venedig, wenn er Schloß Porcia in Kärnten sieht. Wer weiß aber, daß viele italienische Baumeister in der Wachau wirkten, wo der südliche Laubenhof mit der gotischen Bauweise eine besonders liebenswerte Verbindung einging? Auch der Adel besaß zu dieser Zeit ungewöhnliche Macht. Die Schlösser Schallaburg, Rosenburg, Hallegg und Amras geben uns eine Vor-

stellung davon. Auch die zierlichen gotischen Burgen wurden mit neuen Festungswerken versehen. In den Herzogtümern sind die im 16. Jahrhundert errichteten Landhäuser Symbole ständischer Autorität. So lesen wir aus den Bauten die Geschichte und das Wesen des Landes. —
Die Kämpfe des Dreißigjährigen Krieges brachten auch über Österreich Zerstörung, Not und Elend. Erst im 17. Jahrhundert trat die vergessene religiöse Bautätigkeit wieder hervor, die geistige Macht der Gegenreformation begann das Antlitz österreichischer Geschichte zu formen. In langen schlichten, nahezu monotonen Klosterfassaden erkennen wir die neuen Ideen, die den Einfluß Italiens widerspiegeln. Tirol hatte zu dieser Zeit dank seiner geographischen Lage einen Hauptanteil an der Kunst des 17. Jahrhunderts. Italienische und bayerische Elemente vermengten sich mit traditionellen Eigenheiten, die in einer sicheren plastischen Behandlung zum Ausdruck kamen. Salzburg schließt sich direkt Venedig an und verpflichtete sich die ersten Künstler. Vincenzo Scamozzi, der berühmte Architekt, der den Markusplatz mit der herrlichen Fassade der Bibliothek abschloß, lieferte Pläne für den neuen Dom, den Antonio Solari ausführte. Wer mit offenen Augen durch Salzburg wandert, der findet an Fassaden, Laubenhöfen, Türmen und Kuppeln heute noch viel venezianisches Kunstgut. Vollends wird dies in Hellbrunn bewußt. Der kleinteilige Zierat an Toren und Fassade des Schlosses versetzen uns ebenso wie der gepflegte Garten in eine südliche Atmosphäre. Natur und Kunst wurden zum ersten Male von einer gemeinsamen Gestaltungsweise erfaßt. Die Architektur aber dominierte. Sie gestaltete und formte alles zu einem ihr entsprechenden Gefüge.

Dieselbe Klarheit erkennen wir auch an den Klosterbauten, die etwas Verschlossenes an sich haben. Kremsmünster, Garsten, Schlierbach, St. Florian und Waldhausen seien als einige Beispiele hierfür genannt. Das Innere der Kirchen und Festräume ist mit überreichem Stuck übergeben. Putten, Draperien und Ranken schaffen eine Wirkung, die sich kaum mehr steigern läßt. Einen ganz ähnlichen Eindruck vermittelt das Mausoleum in Graz, dessen eindrucksvolle Fassade den Endpunkt frühbarocker Entwicklung deutlich macht. Die Anreicherung der Formen war, wenn sie auch an die heimische Spätgotik äußerlich anknüpfte, kein gangbarer Weg. Sie forderte eine Vereinfachung heraus. So geschah es in Italien; in Österreich aber strebte die Kunst nach einer Beseelung der Materie. Der geniale Wegbereiter dieser Art, der schon am Grazer Mausoleum die ersten Proben seines Könnens abgab, war Fischer von Erlach. Durch ihn hatte die österreichische Kunst europäische Geltung erlangt.

Wieder führen die Kunstwerke zu einem Verständnis der Geschichte. Das österreichische Barock ist ohne die Gegenreformation und ohne den glorreichen Sieg über die Türken nicht denkbar. Weltliche und sakrale Repräsentation schufen in ihrem gemeinsamen geistigen Ziel ein gewaltiges

Erlebnis. Sowie der Kaiser am Sockel der Wiener Pestsäule als Vertreter des Glaubens erscheint und teilhat an der überirdischen Verherrlichung, die uns die wolkengetragene Säule versinnbildlicht, so ist auch sein neues Schloß Schönbrunn mehr als eine Sommerresidenz; es ist Denkmal des siegreichen Herrscherhauses. Wien wurde in den folgenden Jahrzehnten Zentrum des Abendlandes. Auf dem Schutt der von den Türken niedergebrannten Vorstädte erhob sich ein Kranz von Adelspalästen. In der einmaligen Karlskirche Fischer von Erlachs, die in Salzburg ihre künstlerischen Vorbilder hat, manifestierte sich neuerlich weltlicher und religiöser Auftrag. Die niederösterreichischen Stifte Melk, Göttweig und Dürnstein, um die bekanntesten hervorzuheben, folgten ganz ähnlichen Ideen. Kaisersäle, Kaiserstiegen, Räume weltlicher Repräsentation umschließen das sakrale Zentrum der Stiftskirche. Klosterneuburg, der „Eskorial" Karls VI., blieb nur ein Torso. Zugleich aber zeigten die Künstler wie Prandtauer, Hildebrandt, Steindl und Allio, eine feinsinnige Einfühlungsgabe in die Schönheit der Landschaft. Das Kunstwerk wächst aus der Natur und gibt dem Wesen der Landschaft gleichsam höheres Leben. So ist es auch beim Schloßbau. Park und Palast sind in ihrer Wirkung voneinander nicht mehr zu trennen. Jenseits des Parkes aber ist es die weite Landschaft, die miteinbezogen erscheint. Denken wir an den herrlichen Blick, den man vom Schloß Belvedere, dem Sommerpalais Prinz Eugens, über Wien genießt oder an den aufsteigenden Garten vom Schloßhof, den die Zeitgenossen einst Klein-Versailles nannten. Niederösterreich wurde die Landschaft des Barocks, so wie die mittelalterliche Gotik in den Tälern Tirols sich bis heute am eindrucksvollsten erhalten hatte. Malerei und Plastik befreiten sich zur Zeit Maria Theresias allmählich von der strengen Allegorie. Raphael Donner brachte als einer der ersten den liebenswürdigen Reiz österreichischer Art unmittelbar zum Ausdruck. Und während sich die Tiroler Fresken der idyllischen Welt des bayerischen Rokokos zuwendeten, suchten die in Wien und Niederösterreich wirkenden Maler persönliche Bindungen zum Thema. Troger und Maulpertsch versenkten sich in leidenschaftliche metaphysische Vorstellungen. Gran und Kremser Schmidt gaben dem Empfinden ihrer Welt lyrischen Ausdruck. Mozart und Haydns unsterbliche Melodien sind aus demselben Geiste zu verstehen. Immer mehr trat das eigene Empfinden, das Wesen der Heimat in den Vordergrund. So schließt sich der Kreis unserer Betrachtung. Die Landschaft, die das Interesse für die Vergangenheit wachgerufen hatte, wird nun zum Thema der Kunst. Österreich erzählt in dem folgenden Jahrhundert gleichsam von sich selbst.

Die ersten malerischen Versuche dieser Art wurzeln im späten 18. Jahrhundert. Johann Christian Brandts kühne Studien erfaßten die stimmungsvollen Hügel und Ebenen des Donautales. Den Klassizisten, wie Anton Koch, ging es dagegen um die Felsszenerie der Alpen mit ihren tosenden

Wasserfällen und weißglänzenden Gletschern. Die Maler aber standen mit ihrer Auffassung nicht allein da. Sie beseelte ebenso Wissenschaft und volkskundliche Forschung. Am schönsten aber lebten sie im Werk der Dichter, in Stifters meisterhaften Erzählungen. Grillparzer verherrlichte Österreich in seinem Loblied, und Lenau formte die zauberhafte Romantik in Versen. Die Musik von Beethoven und Schubert hatte Österreichs Art in die Welt getragen. Auch die Malerei ging einem goldenen Zeitalter entgegen. Rudolf Alt, Ender Steinfeld, Gauermann und Loos malten die Schönheiten der Natur, die sich ihren begeisterten Augen zum ersten Male erschloß. Schindler gestaltete später die intime Studie, und Romako gab den Stimmungen magischen Ausdruck.

Bei dieser künstlerischen Entdeckung des Landes durch die Stadt ist es nicht verwunderlich, daß sich nun viele neue Zentren bildeten. Baden, Ischl und Gastein gewannen an Bedeutung. Die größeren Städte erhielten etwas von der biedermeierlichen Behaglichkeit vornehmer Sommersitze. Wien erwachte zur Weltstadt. Das Idyll der Weinschenken spiegelt die Kunst ebenso wie die Vornehmheit der Gesellschaft. Davon erzählen die Bilder von Neder, Danhauser, Fendi und Amerling. Bald aber verschwand manche Romantik. Die mittelalterlichen Festungen Wiens wurden abgerissen. Die sog. Gründerzeit gab der Residenz ein neues Gepräge. Rund um die Altstadt entstand die schönste Prachtstraße des damaligen Europa: die Ringstraße. Hans Makart stürzte Wien in einen Taumel der Farben. Lanner, Johann Strauß, Millöcker und Suppé berauschten mit ihren bezwingenden Melodien. Die Architektur hingegen kannte keinen eigenen Stil. Sie verbindet Antike, Gotik, Renaissance und Barock auf der Ringstraße zu einem einzigen neuen Gesamtkunstwerk. Darin dokumentierte sich in lebendiger Weise die verbindliche österreichische Art, die auch im historischen Stil in keiner steifen Manier erstarrte. Mancher große Plan, wie der Bau der Neuen Hofburg, die ein großes Kaiserforum umschließen sollte, blieb unvollendet. Statt der strengen Anlage, die sich der Umwelt verschlossen hätte, aber grüßen heute die Hügel des Wienerwaldes über die Baumwipfel des Volksgartens herein.

Landschaft, Tradition und Kunst berichten von Österreichs Schicksal und erzählen vom Wesen seiner Menschen. Es ist heute ein kleines Land; durch Jahrhunderte aber war es Mittelpunkt europäischer Kultur. Wer durch Österreich wandert, der möge neben der Natur die Kunst nicht vergessen. Durch sie erst erschließen sich die geistigen Zusammenhänge der Geschichte. Sie vermittelt und kündet vom Wesen dieses Volksstammes. Wenn wir schließlich das Große wie das Kleine, das Bedeutsame und das Bescheidene in seinen inneren Beziehungen und seiner lebendigen Tradition verstehen, es in seiner Art liebenswert finden, dann hat Österreich wahre Freunde gefunden.

Dr. Rupert Feuchtmüller.

EINTEILUNG

Wien, Niederösterreich, Burgenland

*

Oberösterreich

*

Steiermark

*

Kärnten und Osttirol

*

Salzburg und das Salzkammergut

*

Tirol und Vorarlberg

Verzeichnis der Bilder

Wien, Niederösterreich, Burgenland

Wien, ursprünglich eine keltische Siedlung, dann römisches Standlager unter dem Namen Vindobona, gewann schon im Mittelalter seine unverlierbare Prägung als Brennpunkt europäischer Politik, Kultur und Wissenschaft. Jahrhundertealte kulturelle Schätze weisen in ferne Vergangenheit, ehrwürdige historische Stätten lassen die Zeit vergessen. Das Zentrum der Stadt, die „Innere Stadt", gekrönt vom altehrwürdigen Stephansdom, mit dem 137 m hohen Turm, wird von der Ringstraße, einer der schönsten Straßen der Welt, umgürtet. Es würde zu weit führen, all die künstlerischen Bauwerke aufzuzählen, an denen Wien so reich ist. Ein Prunkstück ist das von Lukas v. Hildebrandt erbaute Schloß Belvedere, einst der Sommersitz des Prinzen Eugen. Der berühmte Baumeister Fischer v. Erlach schuf das prächtige ehemalige kaiserliche Lustschloß Schönbrunn mit seinen herrlichen Gärten und die Karlskirche, ein Meisterwerk des Barocks. Wunderbar ist der Blick von der Höhenstraße auf die Stadt. Es gibt wenig Großstädte, die eine so herrliche Umgebung besitzen wie Wien. Eine kurze Fahrt nach Klosterneuburg mit seinem an Kunstschätzen reichen Stift, ein Besuch des tausendjährigen Mödling, der nahen Kurstadt Baden, des Wienerwaldes wird sich immer lohnen. Die schmucken Weingärten auf den zahlreichen Hügeln reichen bis an das Häusermeer der Millionenstadt.

Niederösterreich, der Garten Wiens, ist mannigfaltig gegliedert. Mit Raxalpe und Schneeberg reicht es noch in die Hochgebirgszone der Alpen, deren Ausläufer seinen südwestlichen Raum erfüllt. Die Voralpengebiete, der Semmering, das Donautal, die Granitfelsen und Wälder des Waldviertels, das Hügelland des Weinviertels und die fruchtbare Ebene des Marchfeldes bieten eine Vielfalt von Landschaftsformen. An der Donau, in der vielbesungenen Wachau, liegen die Orte zwischen Obst- und Weingärten versteckt. Burgen, Ruinen, Klöster und Kirchen künden von stolzer Vergangenheit. Meister Hildebrandts wunderbare Anlage des Stiftes Göttweig auf dem uralten Kulthügel südlich von Krems und Prandtauers imposantes Klosterschloß Melk mit der bezaubernden Kirche gelten mit Recht als Glanzpunkte des Spätbarocks. Meister Munggenast schuf das sagenumwobene Stift Dürnstein.

Nördlich von der Wachau breitet sich die Hochfläche des Waldviertels mit seinen ausgedehnten Wäldern, romantischen Burgen und Ortschaften aus. Im 12. Jahrhundert wurde bereits der herrliche Kreuzgang vom Stift Zwettl begonnen, und Munggenast schuf die glanzvollen Bauten von Kirche und Stift Altenburg. Im Wienerwald zieht das Zisterzienserstift Heiligenkreuz mit seinem wundervollen Kreuzgang viele Besucher an.

Das Burgenland gewinnt schon durch seine Lage vor den Toren Wiens an Bedeutung. Der Neusiedler See findet immer stärkere Beachtung durch seine Tier- und Pflanzenwelt. Nicht minder beachtenswert ist auch der weltberühmte Wein aus Rust und vielen anderen Weinbauorten rund um den Neusiedler See. Die Erinnerung an Joseph Haydn verleiht der Landeshauptstadt Eisenstadt noch immer ein besonderes Gepräge. An den Abhängen des Rosaliengebirges liegt Schloß Forchtenstein inmitten weiter Obstkulturen. Jenseits des Rosaliengebirges beginnt die Bucklige Welt. Die sanften Linien einer abwechslungsreichen Landschaft erfreuen das Auge; Burgen, Schlösser und Ruinen sind eindrucksvolle Zeugen der Geschichte. Die Sauerquellen von Tatzmannsdorf stehen im Zusammenhang mit der ursprünglich vulkanischen Natur des Landes. Der mit Tatkraft betriebene Ausbau des Straßennetzes wird Anlaß dazu sein, das Land weiter dem großen Verkehr zu erschließen.

Dürnstein a. d. Donau, eine Perle der Wachau

Wien: Der Südeingang zum Schloß Belvedere

Die Karlskirche, ein bedeutendes Werk Fischer von Erlachs, begonnen 1716

Im Park von Schloß Schönbrunn   28

Das Rathaus der Hauptstadt

Der altehrwürdige Stephansdom . . .   *30*

... das weitbekannte Wahrzeichen Wiens

Schloß Belvedere (Südfront), ein genialer Bau Lucas von Hildebrandts

33   Äußerer Burghof mit dem Prinz Eugen-Denkmal

Im Semmeringgebiet: Kalte Rinne und Polleroswand gegen Rax

34

Schloß Klamm auf dem Heubachkogel an der Semmeringbahn

In der Wachau: Schloß Schönbühel

Benediktinerstift Melk; die Hauptteile aus den Jahren 1700-1750

In der Stiftskirche von Melk

Der große Bibliotheksaal

Das Barockportal im Stiftshof von Dürnstein

41   Dreifaltigkeitssäule im Stift Heiligenkreuz

Der Kreuzgang (13. Jahrhundert) von Heiligenkreuz

43   Wiener Neustadt / Neukloster (gegr. 1250): Die Bibliothek

Brunnenhaus im Stift Heiligenkreuz

45   Die Bibliothek des Benediktinerstiftes Altenburg am Kamp, gegr. 1144

Schloß Artstetten, Ruhestätte des in Serajewo ermordeten Thronfolgerpaares

47   Das Stadttor von Krems/Wachau

Burg Kreuzenstein bei Wien birgt wertvolle burgenkundliche Schätze

49   Burg Rogendorf in Pöggstall/Waldviertel, das anschauliche Beispiel eines Wehrbaues

Kreuzgang und Chor (rechts) der Zisterzienser-Abtei Lilienfeld, gegr. 1202; ...

. . . sie ist ein bedeutendes Denkmal des deutschen Kulturgebietes

Der Lunzersee am Fuße des Scheiblingsteins

53   Wallfahrtskirche Maria Taferl bei Marbach a. d. Donau

Burg Forchtenstein an der Grenze des Burgenlandes, erbaut um 1340

Burg Schlaining im südlichen Burgenland, im 13. Jahrhundert erstmalig erwähnt

Wasserburg Heidenreichstein an der tschech. Grenze

Die Bergkirche in Eisenstadt/Burgenland, in der Haydn begraben liegt

Schloß Esterhazy in Eisenstadt, Haydns langjährige Wirkungsstätte

Ein typisches Bauernhaus im Burgenland

Schilfernte am Neusiedler See . . .

... an dessen Westufer der Weinort Rust liegt

Oberösterreich

Das Land zwischen dem Böhmerwald und den Alpen bietet vieles, vor allem eine völlig ungestörte Landschaft. Wer diese erleben will, besuche einmal das einsame Donautal, wandere durch das waldumrauschte Mühlviertel mit seinen einzigartigen Weitblicken oder durch das obere Innviertel mit seinen Moorseen. — In diese Natur förmlich hineingehend und aus tausendjähriger bodenständiger Tradition erwachsen sind die Kunstwerke des Landes, als bedeutendste die Bauschöpfungen und Kunstschätze der Barockstifte St. Florian, Kremsmünster, Schlierbach und Wilhering, ein Meisterwerk des Rokokos.

Eine Dampferfahrt von der Landeshauptstadt Linz donauaufwärts ist ein eindrucksvolles Erlebnis; von den Höhen des einsamen Stromtales grüßen die Burgen und Schlösser wie Viechtenstein, Rannariedl, Marsbach und Neuhaus. Wieder anders geartet ist die flußabwärts gegen Wien und die Wachau ziehende Tallandschaft. Im romantischen Strudengau ist die sagenumwobene Umgebung des Städtchens Grein ein beliebtes Ziel. — Das Mühlviertel, das Hügelland nördlich der Donau, das in hundert Abstufungen und sich übereinanderschiebenden Dächern wie eine granitene Stadt bis zu den dunklen Palästen und Waldburgen des Böhmerwaldes hinansteigt, ist gleichsam ein einziger Aussichtsberg. Selbst von kleineren Hügeln hat man eine Fernsicht wie anderswo von den höchsten Gipfeln. Einem Teppich gleich liegt das ganze Land vor dem Auge des Beschauers; es ist die Landschaft Adalbert Stifters. Nicht vergessen dürfen wir die in manch einsamer Dorfkirche verborgenen Kunstwerke, allen voran den gotischen Flügelaltar von Kefermarkt und das mauerumgürtete Städtchen Freistadt. Eine große Anziehungskraft haben auch noch andere alte Stadtbilder auf den Fremden; sei es Wels, die alte Eisenstadt Steyr, Enns, Braunau oder Schärding am Inn. Nicht minder bekannt im Alpenvorland sind eine Anzahl heilkräftiger Quellen und Kuranstalten, wie das Jodbad Hall und das Schwefelbad Schallerbach.

Das Salzkammergut, in seinen Hauptteilen oberösterreichisch, ist ein Begriff von höchstem Ruf, es wird noch an anderer Stelle gewürdigt. — Weniger bekannt als das Salzkammergut, aber mit hervorragenden Naturschönheiten ausgestattet, ist das Pyhrnbahngebiet mit dem Stodertal und den Orten Windischgarsten und Spital am Pyhrn. Der Talabschluß in Hinterstoder, die „Polsterluke", wird jedem unvergeßlich bleiben. Hier stürzt das Tote Gebirge in grandioser Wildheit gegen Osten ab. Das Hochplateau des Toten Gebirges bildet im Winter ein wahres Schiparadies. Zu Füßen der Nordabstürze des Toten Gebirges liegt der wildromantische Almsee, der durch das Almtal leicht erreichbar ist.

So ist Oberösterreich im gewissen Sinne ein Land der Gegensätze und gerade dadurch ein Land geworden, das in zunehmendem Maße viele Besucher auch in seine bisher weniger bekannten Orte lenkt; alle Sehnsucht der Menschen nach Schönheit in Natur und Kunst vermag es zu erfüllen.

Die ehemalige Stiftskirche in Spital am Pyhrn, ein Hauptwerk österr. Hochbarocks, 1714/17

Im Steyrtal

Das obere Donautal von Burg Neuhaus

Recht eindrucksvolle Bilder bietet . . .

. . . der vielgewundene Lauf der Steyr

Der Eingang zur Stiftskirche Wilhering

Die kunstvollen Fischhallen im Stift Kremsmünster

Die Stiftskirche von Wilhering — rechts das Deckenfresko — ...

. . . gilt als die prächtigste Rokokokirche Österreichs

Im Granithochland des Mühlviertels, der Heimat Adalbert Stifters

Burg Viechtenstein im oberen Donautal

Linz und Urfahr an der Donau

Die Donaulandschaft bei Linz

Benediktinerabtei Kremsmünster, gegründet 777

Innenhof von Stift St. Florian mit Treppenhaus und Bläserturm

Alter Hof in Linz

Stiftskirche St. Florian mit der Bruckner-Orgel

Steyr a. d. Enns: Stadtplatz mit Rathaus und Brunnen

Das Ennsufer mit Michaelskirche und Spitalkirche

Spital am Pyhrn-Paß

Die Donauschlinge bei Schlögen

Steiermark

Wer in den Urlaubstagen einmal die grüne Mark durchstreift, wird schönste Erinnerungen mitnehmen. Geh durch die stille Waldeinsamkeit des Jogllandes, wandere durch die Wälder und Almen der „Waldheimat" Peter Roseggers, zieh weiter ins Land hinüber zur Festenburg, wo ein gottbegnadeter Sänger im Priesterkleide dem ganzen Volk die schönsten Lieder sang. Besuche die Schlösser auf hohen Felsen, die mächtige Riegersburg und Schloß Herberstein und kehre ein im nahen St. Johann, dem einstigen Kloster der unbeschuhten Augustiner, in welchem Abraham a Sancta Clara viele Jahre seine unvergänglichen Predigten konzipierte. Wende den Schritt südwärts über Bad Gleichenberg mit seinen Heilquellen und weiter nach Radkersburg, wandere über die Mur hinein in die schöne Weststeiermark, wo im Schatten des langen Koralpenzuges die Schlösser der Liechtensteine in paradiesischen Gärten träumen, der herrliche Schilcher gedeiht und die Edelkastanien reifen. Oder geh ins Oberland die Pracht des Hochgebirges zu genießen, das wildromantische Gesäuse, die felsigen Gemsreviere des Hochschwab, die satten Almen der Niederen Tauern, die blinkenden Gletscher des Hohen Dachsteins, die herrliche Ramsau, den Erzberg, den felsenumrahmten Leopoldsteiner See, den Grünersee von Tragöss, den malerischen Grundlsee und endlich den wundervollen Rahmen um Mariazell, zu dessen Gnadenkirche alljährlich Zehntausende leidbeladener Menschen pilgern, um Trost zu finden und neue Hoffnung zu fassen.

Besuche die herrlichen Stifte von Admont und Seckau, St. Lambrecht und Rein oder Vorau und dann die Landeshauptstadt, welche dir alle zeigen werden, wie stark das Kunst- und Kulturleben in der grünen Mark seine Wurzeln schlagen konnte. Graz, die Gartenstadt, so schön, so südlich mild ist diese Stadt im Grünen, daß Tausende nach einem Arbeitsleben sie erwählten, um in ihren Mauern den Lebensabend in Ruhe und Frieden zu verbringen. — Liebst du den Wein? Dann komm in die Keller von Köch, Radkersburg und Silberberg, wo dir ein herrlicher Tropfen kredenzt wird, oder wandere hoch hinauf nach Kitzeck oder tief hinunter nach Ehrenhausen, Leutschach und Gamlitz, und überall wirst du im Weine die Sonne des Südens trinken.

Nicht vergessen soll aber werden die Steiermark als Wintersportland; die Schladminger Tauern mit ihren großen Übungswiesen und den langen Abfahrten sind für Anfänger und Geübte wie geschaffen. Mitterndorf, als Ausgangspunkt für das östliche Tote Gebirge und für den Dachstein, wurde zu einem Winterkurort von Bedeutung; Mürzzuschlag ist der älteste Wintersportort der Steiermark. Diese wenigen Andeutungen mögen genügen, um zu erkennen, daß die grüne Mark auch eine weiße sein kann. — Hat dieses Land nicht alles, was sich viele ersehnen?

In der alten Bergstadt Eisenerz

Eisenerz mit dem Pfaffenstein (1871 m) verdankt seine Bedeutung dem Erzberg, ...

. . . dessen Erze in sechzig Abbaustufen meist im Tagbau ausgebeutet werden

Das Ennstal bei Schloß Trautenfels

Der Leopoldsteiner See bei Eisenerz ist einer der schönsten steierischen Seen

In der Ramsau unterhalb des Dachsteins

91   Pürgg mit dem Grimming (2351 m), dem markantesten Berg des Ennstales

Der Wallfahrtsort Mariazell

In den Schladminger Tauern an der Krummholzhütte (1870 m)

Blick von Johnsbach zum Hochtor (2372 m) / Ennstaler Alpen

Der Reichenstein (2247 m) aus dem Ennstal bei Admont

Im Seewigtal in den Schladminger Tauern

Admont mit dem Buchstein; das Benediktinerstift birgt die größte Klosterbibliothek Österreichs

Das Ennstal bei Admont, hier noch breit, verengt sich darauf . . .

. . . zu dem wildromantischen Gesäuse, dessen Eingang das obige Bild zeigt

Unzmarkt im burgenreichen oberen Murtal

Die Dachstein-Südwand von der Bachleralm

Graz: Das Mausoleum Kaiser Ferdinands II., erbaut 1614—40

Das Landhaus (16. Jahrhundert) gilt als einer der schönsten Bauten ital. Frührenaissance

Der Uhrturm auf dem Schloßberg, das Wahrzeichen von Graz

105   Der kunstvolle, schmiedeeiserne Brunnen (1626) in Bruck an der Mur

Die Pribitz (1577 m) bei Tragöß/Oberort

Das altertümliche Städtchen Oberwölz in einem Nebental der Mur

Das Kornmesserhaus in Bruck a. d. Mur; Pankraz Kornmesser, ein Bürger der Stadt, ließ es 1495/1505 erbauen   *108*

Am Stadttor von Oberwölz: Die alten Befestigungen dieser kleinen Stadt sind sehenswert

St. Kathrein, im Gebiet von Peter Roseggers Waldheimat

St. Peter-Freienstein im Vordernbergertal

Kärnten und Osttirol

Kärnten ist ein mit Naturschönheiten gesegnetes Land, der Charakter der Landschaft ist an Vielfalt nicht leicht zu übertreffen; er äußert sich im Felssturz seiner Kalkberge, im Glanz seiner Seen und in der Anmut seines Hügel- und Flachlandes. Ist auch von der einstigen römischen Hauptstadt Virunum nicht mehr viel zu sehen, so haben doch jüngste Ausgrabungen die ältere Siedlung auf dem schon von den Kelten bewohnten Magdalensberg freigelegt. An den Fuß des Ulrichberges schmiegt sich mit ihrer aus karolingischer Zeit stammenden Kirche die alte Kaiserpfalz Karnburg. Auf der gegenüberliegenden Talseite steht der Dom von Maria-Saal, ein weithin ragendes Monument; Romantik, Gotik und Barock haben an ihm gebildet. Das religiöse Zentrum des Landes verlagerte sich im frühen Jahrhundert von Maria-Saal nach Gurk: Der Dom von Gurk, romanisch in Herkunft und Anlage, trotz späterer Erweiterungen von geschlossener Wirkung, ist mit seiner berühmten hundertsäuligen Krypta und den schönen Fresken der Westempore ein Begriff europäischer Stilgeschichte. Er birgt neben vielem Erwähnenswerten ein hervorragendes Kunstwerk: die Pietà Raphael Donners. Die Kirchen- und Klostergründungen aus der Frühzeit haben in allen Teilen des Landes ihren Charakter bewahrt, vor allem die Klöster von St. Paul, Millstatt und Ossiach; Maria-Wörth hat nicht umsonst dem Wörther See den Namen gegeben. Die Zahl weiterer bedeutender Kirchen ist Legion. Der Landschaft zugewachsen, zumindest in ihren historischen Kernteilen, zugleich Ausdruck der Geschichte des Landes, sind auch die Städte Kärntens. Friesach ist noch von Mauer und Stadtgraben umzogen, ebenso bewahrt den Hauch des Mittelalters das Bergstädtchen Gmünd. Mittelalterlich ist auch das Bild der alten Herzogsstadt St. Veit. Klagenfurt besitzt das Landhaus, die einstige repräsentative Versammlungsstätte des Landes, in der auch heute noch die Volksvertretung Kärntens, der Landtag, zusammentritt. Villach, zu Füßen des Dobratsch, blickt von den Kärntner Städten auf die älteste Geschichte zurück. Das Schloß Porcia in Spittal gehört zu den schönsten Renaissancebauten Österreichs. — Und zu den Kirchen und Städten treten die Burgen; hier nur eine für viele: Hochosterwitz hat kaum ihresgleichen.

Die Landschaft ist die große Anziehungskraft Kärntens. Die Felsgipfel der Karawanken und der Karnischen Alpen, die das Land im Süden abschließen, sind viel zu bekannt, als daß sie noch besonders genannt werden müßten. Ebenso ist es bei den Gipfeln der Hohen Tauern. Neben den Gipfeln sind es die mehr als zweihundert Seen, die Kärnten so anziehend machen. Ein Ort sei aber noch besonders genannt, an dem sich Natur und Kunst angesichts des höchsten Berges Kärntens und Österreichs zu einer unvergleichlichen Harmonie vereinen: Heiligenblut. Die Kirche birgt einen wundervollen Altarschrein, an dem noch das Gold der Goldschürfer zu haften scheint, das einst auf den Bergen ringsum gefördert wurde. Die Großglockner-Hochalpenstraße, die den Bergriesen der Menschenwelt nähert, ein Meisterwerk des Straßenbaus, ist nicht die letzte der Sehenswürdigkeiten des Landes.

Osttirol ist durch die Abtrennung Südtirols zu einer tirolischen Insel geworden; nur auf Umwegen können die Osttiroler in ihre Landeshauptstadt Innsbruck gelangen. Wenn daher dieser Teil Tirols hier dem Land Kärnten angegliedert ist, so mag dafür eine gewisse Berechtigung vorliegen. Im Lienzer Becken, der einzigen Talweitung dieser Landschaft, mündet das Iseltal. Das Virgental weist nicht nur landschaftlich großartige Szenerien auf, es birgt auch kulturgeschichtliche Perlen, so die freskenreiche Kirche in Obermauer oder das wunderbare Kirchlein von St. Nikolaus bei Matrei. Die „Lienzer Dolomiten" mit dem Spitzkofel und der Laserzwand sind das Wahrzeichen von Lienz, dem Hauptort Osttirols.

Millstätt am Millstätter See mit seinem stimmungsvollen Ritterordensstift

Gurk besitzt in seinem Dom (vollendet 1200) ein kunstgeschichtliches Bauwerk ersten Ranges

Gotischer Karner mit Totentanz in Metnitz bei Friesach

Die Wallfahrtskirche Maria Saal bei Klagenfurt ist wohl die älteste Kultstätte Kärntens

Im Mallnitztal, einem alten Goldbaugebiet

Lienz a. d. Drau mit Iselsberg, von Schloß Bruck gesehen

Das Tauern-Tal bei Matrei/Osttirol; rechts Schloß Weißenstein

121   Schloß Hochosterwitz findet ob seiner Lage und Bauweise kaum seinesgleichen

Der Lindwurmbrunnen in Klagenfurt, um 1600 aus einem Schieferblock geformt

Burg Falkenstein an der Tauernbahn

Schloß Hallegg bei Klagenfurt (Anfang 16. Jahrhundert)

Im Hof des Schlosses Porcia in Spittal a. d. Drau

Der gotische Hochaltar in der Wallfahrtskirche Heiligenblut

Der Wappensaal im Landhaus in Klagenfurt

Velden am Wörther See und die Karawanken

Der Wörther See von der Aussichtsstraße zum Pyramidenkogel

Der Weißensee (930 m) in den Gailtaler Alpen

131   Das Rosental und die Karawanken

Der Herzogstuhl (um 800) bei Klagenfurt, auf dem der Kärntner Herzog den Eid leistete   *132*

133   Der malerische Hof des Rathauses in Villach a. d. Drau

Blick in das Mölltal

Mallnitz, das Tor zu den Hohen Tauern

Das Rathaus in St. Veit an der Glan

137   Arkadenhof des Schlosses Frauenstein bei St. Veit

Die Gipfelwelt der Glocknergruppe, von Heiligenblut gesehen

Das Große Wiesbachhorn, einer der mächtigsten Dreitausender im Glocknergebiet

Tracht mit dem hohen Schleifenhut aus dem Gurktal

In Oberkärnten und Osttirol trägt man vielfach selbstgeflochtene Strohhüte

Das Seebachtal bei Mallnitz mit dem Ankogel

Heiligenblut und der Großglockner

Am Umbalgletscher in der Venedigergruppe

Gipfelrast auf dem Kleinglockner

Im Kärntner Bergland besitzt fast jeder Hof seine eigene Mühle

Die Harfe, ein Gerät zum Trocknen von Heu und Getreide

Das obere Drautal von Lavant aus gesehen (Osttirol) 148

Im Defereggental in Osttirol

Bauernhaus im Virgental

Wassermühlen sind in Osttirol das charakteristische Merkmal der Landschaft

Land Salzburg und das Salzkammergut

Wenn von der Geburtsstadt Wolfgang Amadeus Mozarts oder den Salzburger Festspielen die Rede ist, tauchen in unserer Vorstellung auch die mannigfaltigen Landschaftsbilder dieses Landes auf; beide, Stadt und Land, bilden eine nicht zu trennende Einheit von Natur und Kunst. Die mittelalterliche Feste, die von zahlreichen Bauepochen gezeichneten Kirchen, die barocken Paläste, Plätze, Brunnen und Bürgerhäuser geben ein anschauliches Bild von der wechselvollen Geschichte der fürsterzbischöflichen Stadt. Die Landschaftsformen des Salzburger Landes sind ebenso eindrucksvoll wie abwechslungsreich. Vom Nordwesten her schiebt sich die bayerische Ebene bis an die Stadt heran, nördlich erstreckt sich ein waldiges Hügelland; seine warmen und freundlichen Seen zusammen mit den der Stadt Salzburg im Osten vorgelagerten höheren Voralpenbergen künden bereits die Nähe des Salzkammerguts. Dieses, schon seit vielen Jahrzehnten ein feststehender Begriff, setzt sich aus Gebietsteilen der drei Bundesländer Salzburg, Steiermark und Oberösterreich zusammen, wobei Oberösterreich den Hauptanteil hat. St. Gilgen und Strobl am St.-Wolfgang-See sind salzburgisch, St. Wolfgang dagegen oberösterreichisch. Die anderen großen Seen wie Traunsee, Attersee, Mondsee, Hallstätter See und die Gosauseen sind gleichfalls oberösterreichisch, während die Seen um Bad Aussee steiermärkisch sind.

Im Süden erheben sich, von den Salzburger Kalkalpen durch die sanfteren Grasberge der Pongauer und Pinzgauer Schieferalpen getrennt, die gewaltigen Gletscher der Hohen Tauern, die ostwärts in den nur wenig abfallenden Radstädter Tauern ihre Fortsetzung finden. — Der sich im Süden an die Stadt Salzburg anschließende Tennengau mit dem Halleiner Salzbergwerk leitet bereits in die Gebirgslandschaft des Pongaues über, der von den Salzburger Kalkalpen beherrscht wird. Helle, im Sonnenlicht leuchtende Bergwände, tiefe Wald- und Felsenschluchten, rauschende Klammen, unter welchen die Liechtensteinklamm die bedeutendste ist, riesige Eishöhlen und unterirdische Felslabyrinthe, wie die Eisriesenhöhle im Tennengebirge, die weltbekannten Heilquellen des Gasteiner Tales, eisbedeckte Gletscherfelder und blühende Almenmatten verleihen dieser Landschaft ihren besonderen Reiz. Überquert man von Radstadt aus mit dem Wagen die Bergkette der Radstädter Tauern, so gelangt man in den ringsum von hohen Bergen eingeschlossenen Lungau, der von der Salzburger Seite nur über diesen Weg zu erreichen ist. Den Südwesten des Landes nimmt der von den Hohen Tauern und den Kalkwällen des Steinernen Meeres begrenzte Pinzgau ein; dieser erschließt mit seinem Reichtum an Gebirgskämmen und Tälern nicht allein dem Wanderer eine reiche Fülle von Tourenmöglichkeiten, er beherbergt in seinem Bereich auch die Großglockner-Alpenstraße, die wichtigste Nord-Süd-Verbindung der östlichen Zentralalpen. Nebst dem am Zeller See gelegenen Hauptort Zell am See, von dem aus eine Seilbahn auf die 2000 m hohe Schmittenhöhe, einem der Aussichtsberge des Salzburger Landes, führt, sind noch die Krimmler Wasserfälle besonders hervorzuheben.

Bietet das sommerliche Salzburger Land mit seinen Festspielen, Kunstdenkmälern und Naturschönheiten viel Abwechslung, so verwandelt der Winter das ganze Land in ein Wintersportparadies, dessen Mannigfaltigkeit nicht hinter der des Sommers zurücksteht. So kommt es, daß eine Reihe von salzburgischen Orten auch als Wintersportplätze einen guten Ruf haben.

Salzburg und die Feste Hohensalzburg

Am Fuschlsee/Salzkammergut

154

Salzburg vom Mönchsberg gesehen

Salzburg: Mirabellgarten, Dom und Feste

Am St. Wolfgangsee im Salzkammergut

Beim Bau eines Einbaums am Attersee/Salzkammergut

Blick über den Mondsee zum Schafberg (1780 m)

Schloß Orth bei Gmunden am Traunsee

161   Das Johanniskirchlein in Traunkirchen am Traunsee

Blick ins Gosautal und auf den Gosausee

163   Der Gosausee und das gewaltige Dachsteinmassiv

Die großen Seen des Salzkammergutes sind wie geschaffen für jeden Wassersport

Die Welt der Fels- und Eisgipfel dagegen ist das begehrte Ziel der Bergsteiger

Im stillen Blühnbachtal

Bei den Holzfällern im Dachstein

Am Oberen Krimmler Wasserfall

Beim Holzflößen auf der wilden Salzach

Das Salzachtal und die Hohen Tauern, gesehen vom Paß Thurn

Hofgastein im Gasteiner Tal

Das Heilbad von Weltruf: Bad Gastein

Mitten durch den Ort stürzen die Wasserfälle

Der Bärenfall im Naßfeldtal bei Bad Gastein

Blick von der Schmittenhöhe auf Zell am See

Der Zeller See und das Kitzsteinhorn

Zell am See, Ausgangspunkt der Glocknerstraße

Die Mandlwände am Hochkönig bei Bischofshofen

Eindrucksvolle Fernblicke auf Matten und Felswände bieten die Kitzbüheler Berge

Das Tennengebirge aus dem Salzachtal bei Werfen

St. Johann im Pongau und das Tennengebirge

Werfen im Salzachtal

Auf der Glockner-Hochalpenstraße

Am Ferleitengasthof an der Glocknerstraße

Die Felsenkette der Loferer Steinberge

Das Rauriser Tal im Unteren Pinzgau

Böckstein an der Tauernbahn

Mädchen aus dem Lungau beim Fransenknüpfen

189   Bäuerin in der Pinzgauer Tracht

Steinernes Meer und Hochkönig von Saalfelden

Leogang mit dem Birnhorn (2634 m) / Oberpinzgau

Tirol und Vorarlberg

Das Land Tirol leitet seinen Namen vom Stammschloß der Grafen von Tirol bei Meran her; mit seiner Gebirgsumwallung gleicht es selbst einer gewaltigen, trotzigen Burg. Die historischen Geschicke des Landes verstärken den Zauber von Romantik, der das „heilige Land" verklärt. Ackerbau und Schwerindustrie, die ertragreichen Betätigungen, sind in Tirol nur spärlich vertreten, dafür begünstigt die Bodengestaltung Almwirtschaft und Viehzucht, der reichliche Waldbestand Holzwirtschaft und Holzverarbeitung. Sehr wichtig jedoch für das Wohl des Landes ist der Fremdenverkehr, bedingt durch den Reichtum an landschaftlicher Schönheit. Die Pflege tirolischer Hauskunst stärkt die Liebe zur Heimat, die Freude am eigenen Volkstum. Innsbruck ist wirklich, nicht nur dem Namen nach, die Hauptstadt des Landes, kreuzen sich in ihr doch alle Verkehrsstrecken, drängt sich dort doch das geistige und wirtschaftliche Leben zusammen. Die Stadt ist der Brennpunkt für Tirols Kunst, Wissenschaft, Handel und Gewerbe. Dazu kommt noch der unvergleichliche, einzigartige Rahmen, der das Bild der Stadt umschließt.

Hauptanziehungspunkt ist zweifellos die Bergwelt der Alpen, die sich quer über das Land in zwei Parallelzügen erstrecken: die Nördlichen Kalkalpen, Karwendel, Kaisergebirge, Wetterstein usw., ernst aus dem üppigen Grün der Hochwälder emporsteigend, und der mächtige Zug der zentralen, reich vergletscherten Urgebirge. Namen wie „Ötztaler", „Stubaier", „Zillertaler", dann Silvretta, Samnaun u. a. sind Begriffe geworden, und jede dieser Berggruppen wartet mit hervorragenden, berühmten Gipfeln auf, die weit über die 3000-m-, fast an die 4000-m-Grenze reichen; unter den Gletschern ist der Gepatschferner der größte der Ostalpen.

Das Juwel der Tiroler Seen, 9 km lang, ist der Achensee, der wie ein Märchen mitten in die Felsen des Karwendel- und Rofangebirges hineingebettet ist. Fast norwegisch mutet der fjordähnliche Plansee an; und noch manch malerisches Alpenseeidyll ist da und dort in die Berglandschaft gestreut.

Vorarlberg schließt vom Bodensee und dem Rheintal aus bis zu den Kämmen der Alpen, auf denen das Gletschereis leuchtet, alle Schönheiten der Ebene und der Berge in sich ein. Bregenz, die Hauptstadt des Landes, liegt unmittelbar am Ufer des Bodensees und am Fuße des 1064 m hohen Pfänders, auf den eine Seilschwebebahn führt; hier hat man einen herrlichen Rundblick über das Bodenseegebiet, das Rheintal und den Bregenzer Wald bis hinauf zu den Felsen des Rätikon. Im Rheintal wird man die Stadt Dornbirn, bekannt durch das Bödele und die Rappenlochschlucht, gern aufsuchen, und das mittelalterliche Feldkirch mit seinen Laubengängen und der Schattenburg, dem ehemaligen Sitz der Grafen von Montfort; Bludenz im Rätikongebiet erinnert durch seine Bauweise an vergangene Zeiten. — Die vielen großen und kleinen Orte in den Tälern und auf den Hängen der Berge sind umrahmt von Wiesen und Wäldern. Das Tal Montafon, das Brandner Tal, der Bregenzer Wald, das Große und das Kleine Walsertal, das Klostertal und das Land vor dem Arlberg sind Gebiete, die im Sommer und auch im Winter besucht werden. Dort herrscht unter steinbeschwerten Dächern uraltes Brauchtum, die Bewohner tragen noch die alten schönen Trachten.

Das Tal von Lermoos

Innsbruck mit den Stubaier Bergen und . . .

. . . mit der schneebedeckten Nordkette

Hall am Inn mit der imposanten Bettelwurfgruppe

Am Heiterwanger See bei Reutte

Ehrwald und das Wettersteinmassiv

199   Von der Fernpaß-Straße hat man beglückende Blicke auf kleine Seen und schroffe Felswände

Schloß Freundsberg bei Schwaz am Inn

Stripsenjoch, Totenkirchl, Ellmauerhalt, vom letzten Bauernhof im Kaisertal

Das Andreas Hofer-Denkmal in Innsbruck

Feste Geroldseck bei Kufstein

Kufstein und das Inntal

Der Wilde Kaiser, gesehen von der Straße Kufstein—Kitzbühel

Fernblick vom Kitzbüheler Horn zum Kaisergebirge

Kitzbühel und die Kitzbüheler Alpen

Im Schigebiet von Seefeld

Mit der Galzigbahn ins Schiparadies von St. Anton

Eine kleine tiroler Dorfkirche nur, aber ein Glockenturm von schlichter Schönheit

Die Klosterkirche Wilten bei Innsbruck

In der grandiosen Bergwelt der Zillertaler Alpen:

Der Große Mörchner (3283 m), einer der Hauptgipfel dieser Berggruppe

In der Einsamkeit des Karwendels

Pertisau am Achensee und das Karwendelgebirge

Fulpmes im Stubaital mit dem Habicht

Mayrhofen im Zillertal mit dem Grünberg

Fast jedes Dorf hat seine eigene Trachtenkapelle

219   Mädchen aus dem Lechtal

Landeck im oberen Inntal

Im Bregenzer Wald

In den Bergen der Samnaungruppe

Serfaus (1427 m) hoch über dem Inntal

Das Inntal bei Ried gegen den Kaunergrat

An der Arlbergstraße bei Pettneu

Lech am Arlberg (1447 m)

Reutte mit den Tannheimer Bergen

Der Biberkopf von Warth im Lechtal

Mittelberg im Kleinen Walsertal

St. Christoph an der Arlbergstraße (1802 m)

Die Flexenpaß-Straße

Hittisau im Bregenzer Wald   *232*

Brand im Brandner Tal

Die Hochkünzelspitze, von Hopfreben gesehen

Feldkirch mit Schloß Schattenburg

Bregenz am Bodensee

237   Die Gartenstadt Dornbirn; beide Aufnahmen aus dem Flugzeug

Bludenz im Walgau

Tschagguns im Montafon gegen Drei Türme

Die großen Bildwerke des Verlages
in Umfang, Ausstattung und Preis (DM 12,50) dieses vorliegenden Bandes:

DEUTSCHLAND / THIS IS GERMANY
SPANIEN / ITALIEN
JUGOSLAWIEN / FRANKREICH
im Februar 1955   im Februar 1955

Weitere Bände sind in Vorbereitung

*In der Reihe der Simon-Landschaftsbände, jeder Band in Halbleinen zu DM 4,25,
sind erschienen:*

Ferienland Oberbayern - Oberammergau

München, dtsch. - München, engl. - Das alte Nürnberg - Schlesien

Ost= und Westpreußen - Schleswig-Holstein - Schwarzwald

Am Bodensee - Berchtesgadener Land

Hansestadt Hamburg - Mein Schwabenland

An der Mosel entlang - Weserbergland - Loblied der Berge

Schönes Allgäu - Das malerische Franken

Romantisches Deutschland - Am deutschen Rhein

Garmisch=Partenkirchen, dtsch. - Garmisch=Partenkirchen, engl.

Lüneburger Heide - Alte Niedersachsenstädte

Venedig, dtsch. - Venedig, engl. - Hessenland - Westfalenland

Salzburg / Salzkammergut, dtsch.

Salzburg / Salzkammergut, engl.

Harz - Rom

Weitere Bände erscheinen in zwangloser Folge

In jeder guten Buchhandlung vorrätig

VERLAG LUDWIG SIMON · MÜNCHEN-PULLACH